DIRECCIÓN EDITORIAL: **Patricia López**
COORDINACIÓN DE LA COLECCIÓN: Karen Coeman
CUIDADO DE LA EDICIÓN: Pilar Armida y Obsidiana Granados
FORMACIÓN: Maru Lucero
TRADUCCIÓN: Karen Coeman
ILUSTRACIONES: Manuela Olten
TEXTO: Brigitte Raab

¿Dónde crece la pimienta?

Título original en alemán: *Wo wächst der Pfeffer?*

Texto D.R. © 2005, Verlag Friedrich Oetinger GmbH

Editado por Ediciones Castillo por acuerdo con
Verlag Friedrich Oetinger GMBH, Hamburgo, 22397, Alemania.

PRIMERA EDICIÓN: junio de 2011
D.R. © 2011, Ediciones Castillo S.A. de C.V.
Insurgentes Sur 1886, Col. Florida,
Del. Álvaro Obregón,
C.P. 01030, México, D.F.

**Ediciones Castillo forma parte
del Grupo Macmillan**

www.grupomacmillan.com
www.edicionescastillo.com
infocastillo@grupomacmillan.com
Lada sin costo: 01 800 536 1777

Miembro de la Cámara Nacional
de la Industria Editorial Mexicana.
Registro núm. 3304

ISBN: 978-607-463-379-5

Impreso en China/*Printed in China*

¿Dónde crece la pimienta?
Y otras fascinantes preguntas

Texto de Brigitte Raab | Ilustraciones de Manuela Olten

La pimienta es un árbol trepador que crece en zonas tropicales húmedas, como India, Indonesia y Brasil.

CASTILLO

MUNDO MOSAICO

¿Por qué los osos
duermen durante
el invierno?

Porque todos los abrigos
les quedan pequeños y afuera
hace demasiado frío.

En invierno los osos no encuentran
suficiente comida. Por eso consumen
una gran cantidad de alimento
en el otoño para acumular grasa.
Luego pasan la estación más fría
durmiendo en su madriguera
sin necesidad de comer.

Porque les gusta ir de campamento.

La concha los protege de golpes,
del mal clima y del ataque de sus
enemigos. Por eso, cuando un caracol
se siente amenazado, resguarda todo
su cuerpo dentro del caparazón.
Además, la concha les sirve como
esqueleto y les permite moverse.

¿Por qué el agua del mar es salada?

Porque hay un capitán
que navega por todo el mundo
echando sal al agua.

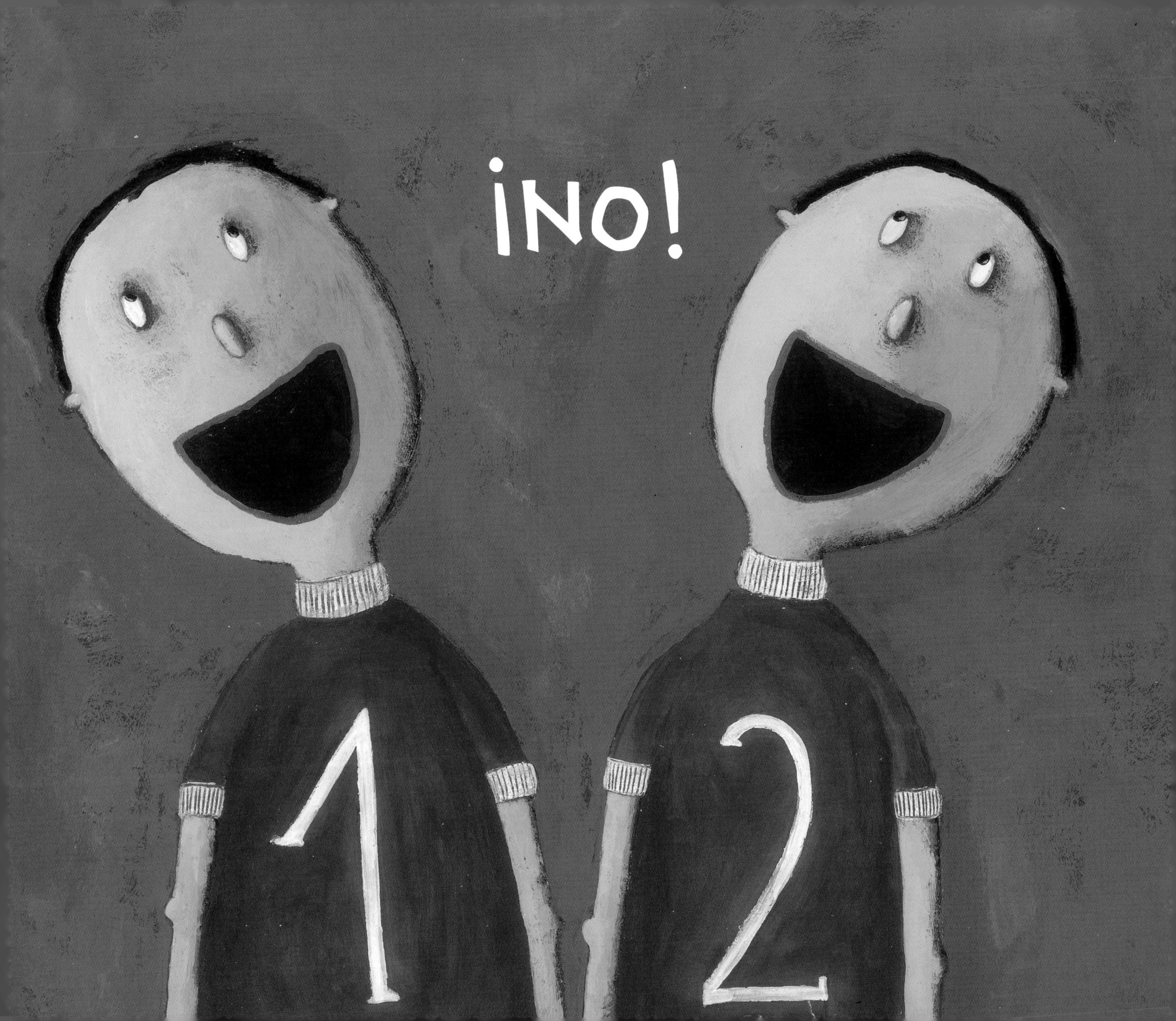
¡NO!
1
2

La sal se encuentra en la tierra,
las piedras y los acantilados.

La lluvia, los arroyos y los ríos
la arrastran y la llevan al mar.

Porque les da
vergüenza que
la gente se les
quede viendo.

Los polluelos de flamencos nacen
blancos, pero al crecer se alimentan
de unos cangrejos pequeños que
son de color rojo. Esto hace que las
plumas de los flamencos se vuelvan
de color rosa. Si un flamenco adulto
es blanco o rosa pálido significa
que está enfermo o que no come bien.

¿Por qué las ovejas tienen el pelo rizado?

Porque son muy coquetas
y les gusta rizarse el pelo.

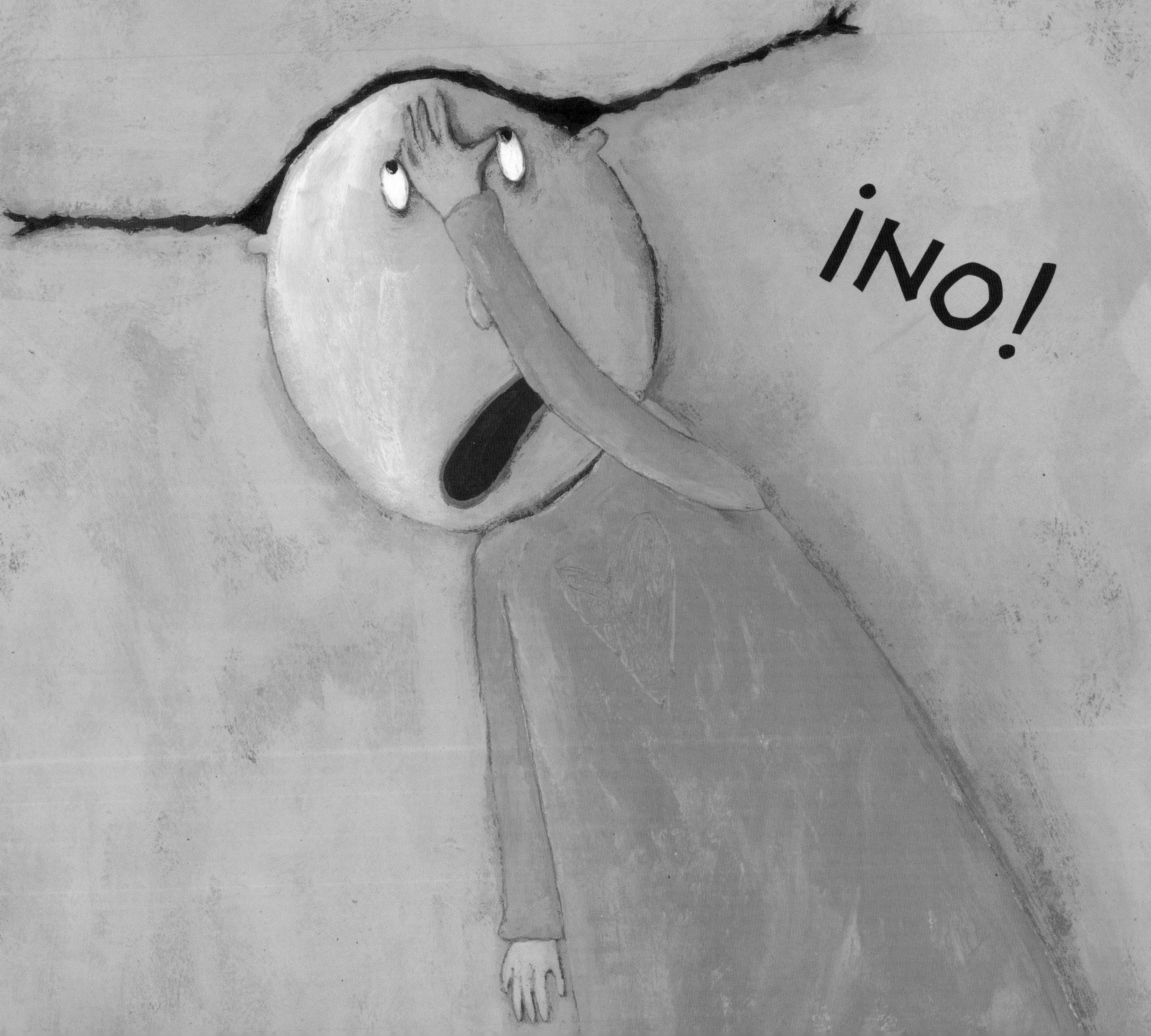

¡NO!

El pelo les crece rizado. Gracias a esto, las ovejas nunca tienen frío. El aire queda atrapado entre los rizos de la lana, manteniéndolas siempre calientitas.

¿Por qué dicen que las ballenas no son peces?

Porque son tan grandes que no caben en ninguna pecera.

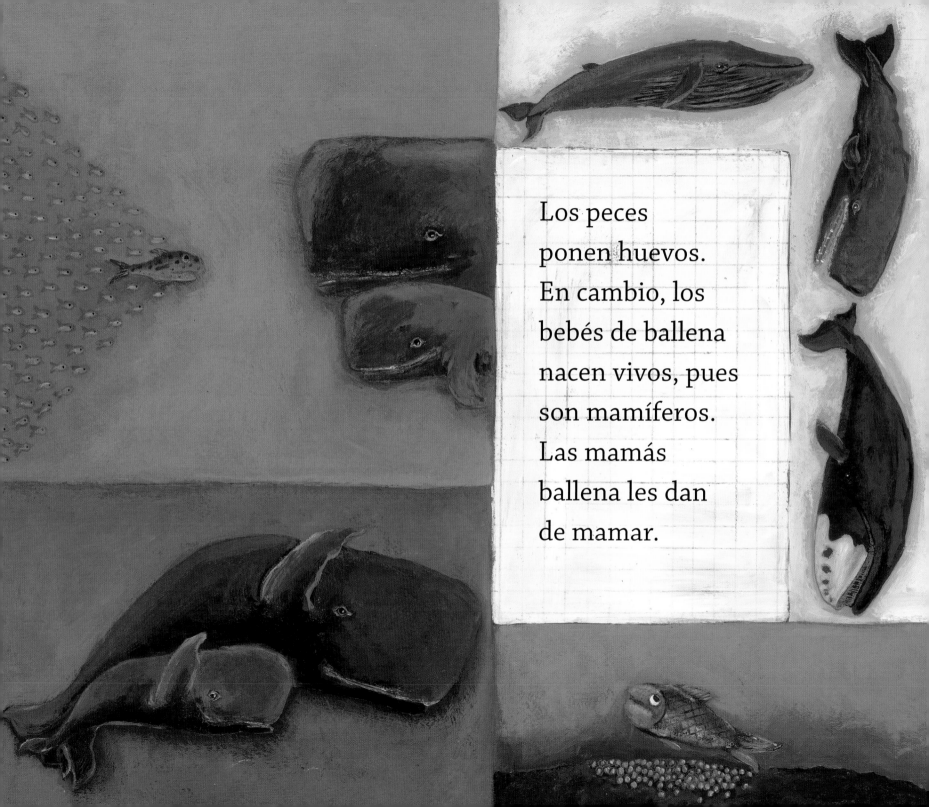

Los peces
ponen huevos.
En cambio, los
bebés de ballena
nacen vivos, pues
son mamíferos.
Las mamás
ballena les dan
de mamar.

¿Por qué las aves migratorias no se pierden cuando vuelan hacia el Sur en el otoño?

Porque tienen una brújula en el pico.

Las aves migratorias
tienen una especie
de brújula en el pico
y en los ojos que les
ayuda a encontrar
el camino correcto.
Además, se orientan
con ayuda del Sol
y las estrellas.

Impreso en los talleres de
South China Printing Co.,
Daning administrative District,
Humen Town, Dong Guan, China.
Junio de 2011